COLLECTION KLAXON

Chapeau Charlotte !

Texte de
Mireille Messier

Illustrations de
Benoît Laverdière

LES ÉDITIONS DE LA
BAGNOLE

Cet après-midi, Charlotte a décidé d'aller
faire un tour chez sa grand-mère. Mamie
Bibi est chapelière. Chapeau de paille, béret
à plumes, casquette en forme de légumes...
Charlotte ne s'ennuie jamais chez Mamie
Bibi, car son atelier est toujours plein
à craquer de chapeaux bizarres.

— Qu'est-ce que tu fabriques aujourd'hui ?
demande Charlotte à sa grand-mère.
— Une charlotte en dentelle, lui répond-elle fièrement.
— Une MOI en dentelle ! s'exclame Charlotte, ravie.
— Pas tout à fait, explique sa grand-mère. Une charlotte,
c'est aussi le nom d'un chapeau.

Charlotte éclate de rire.

—J'ai le même nom qu'un chapeau ? Comme c'est rigolo !
Il sert à quoi, le chapeau qui s'appelle une charlotte ?
Est-ce qu'il protège contre les ouragans ?
Les tempêtes de neige ? Les morsures
de chauve-souris ?

— J'ai bien peur que non, dit Mamie Bibi.
Une charlotte, c'est un bonnet d'intérieur.
Dans l'ancien temps, les dames en portaient
car c'était à la mode de cacher ses cheveux,
même à la maison.

— Une charlotte, c'est un chapeau qui ne va même pas dehors ?
Comme c'est décevant ! rouspète Charlotte. Si je dois partager
mon nom avec un chapeau, j'aurais préféré qu'il aime voyager.
— C'est vrai qu'il est un peu pantouflard, admet Mamie Bibi.

Charlotte hoche la tête :
— Moi, j'aime les chapeaux qui font rêver !
— Moi aussi, ajoute sa grand-mère en sortant
de son armoire des couvre-chefs
des quatre coins du monde.
Prête pour un petit voyage ?

— Nous voici dans la jungle ! Lions, girafes et ouistitis...
— Tu es une Charlotte en chapeau-safari !

—Je monte jusqu'au sommet
de l'Himalaya...
— Tu es une intrépide Charlotte
en chapka !

— Je vais prendre le thé chez la reine, ma cousine...
— Tu es une élégante Charlotte en capeline !

— Je survole les toits sur mon tapis volant...
— Tu es une Charlotte des Mille et une nuits
parée d'un turban !

—Circulez ! Circulez ! Il n'y a rien à voir ici...
—Tu es une Charlotte policière avec un képi !

— J'invente une recette de pudding aux trèfles...
— Tu es une Charlotte cuisinière en toque de chef!

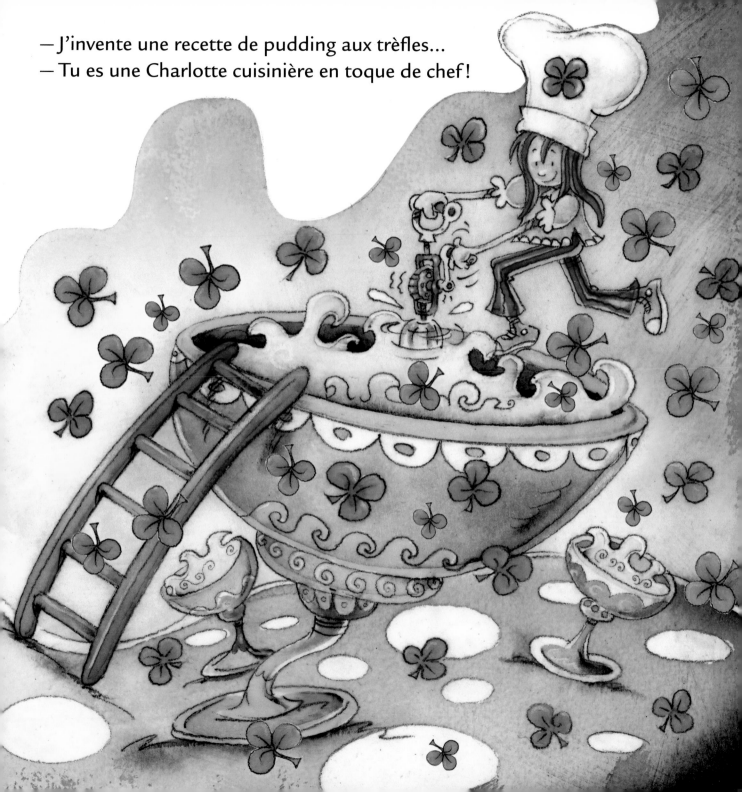

— Un coup de baguette
et je me transforme...
— Tu es une Charlotte
magicienne coiffée d'un
haut-de-forme !

— Mon cheval, mon lasso,
mes bottes et ma veste...
— Tu es une Charlotte
cowgirl à la conquête
du Far West !

Charlotte interrompt ses rêveries et dit à Mamie :
— Mais la charlotte en dentelle, elle reste à la maison. Elle ne fait rien d'excitant...
— Que dirais-tu si je te faisais une charlotte sur mesure ? Une charlotte vraiment CHARLOTTE, suggère Mamie Bibi.
— Bonne idée ! s'exclame la petite. Et moi aussi je vais t'inventer un chapeau qui te ressemble !

Aussitôt dit, aussitôt fait ! Chacune de leur côté,
elles préparent leur chef-d'œuvre.
— Pour que ton chapeau soit vraiment comme toi,
il doit être léger comme l'air, dit Mamie Bibi.
— Et pour que ton chapeau soit vraiment comme
toi, il doit être unique au monde, ajoute Charlotte.

— J'ai presque terminé, dit Mamie, satisfaite.
Il ne manque qu'un petit détail.
— Moi aussi j'ai presque terminé, annonce fièrement
Charlotte. Tout ce qui me manque, c'est un marqueur.

En cachette, la petite
griffonne quelques coups,
puis déclare enfin :
— J'ai fini ! Et je sais
même quel nom
donner à ce nouveau
genre de chapeau.

Quand le papa de Charlotte vient la chercher ce soir-là, il est bien surpris de découvrir...

... une Charlotte en charlotte
et une Bibi... en bibi !

Po
ISB
I. La
PS857□
PS8576.

940591-9

Chapeau Ch
a été publié
de **Jennifer Tr**

© 2010 Mireille
et les Éditions de
Tous droits réservés
ISBN 978 2-923342-
Dépôt légal 2010
Bibliothèque et Archive.

Printed in U.S.A.

Les Éditions de la Bagnole   Cat. No. 23-233   Lanada par l'entremise
du Programme d'aide au dév   (PADIÉ) pour leurs activités d'édition.
Les Éditions de la Bagnole re   BRODART, CO.   .....cier le Conseil des Arts du Canada et la Société
de développement des entrep   u Québec (SODEC). Les Éditions de la Bagnole bénéficient
du Programme de crédit d'impô   ... redition de livres du gouvernement du Québec, géré par la SODEC.

Merci à Michel Therrien pour sa précieuse collaboration.

❧ Imprimé au Québec